Las Aventuras de René Cor

El Lustrador

René Corado

Con mis mejores deseos.

René Corado
25 Julio 2016

The Adventures of René Corado
The Shoeshine Boy

English Translation by

Linnea Hall

E-ditorial
Miguel Ángel

© René Corado
1.ª edición, junio 2016
ISBN 978-0-9960875-2-0

DERECHOS RESERVADOS
Copyright 2016

Autor
René Corado

Traducción
Linnea Hall

E-ditorial Miguel Ángel
ediciomesmiguelangel@gmail.com
f /editorialmiguelangel

Edición y revisión
Amable Sánchez Torres

Diseño y diagramación
Miguel Ángel García

Ilustraciónes
Kevin Ramírez

Impreso en Guatemala

© René Corado
1st edition, June 2016
ISBN 978-0-9960875-2-0

All Rights Reserved
Copyright 2016

Author
René Corado

Translation
Linnea Hall

E-ditorial Miguel Ángel
ediciomesmiguelangel@gmail.com
f /editorialmiguelangel

Editing and revision
Amable Sánchez Torres

Design and layout
Miguel Ángel García

Illustrations
Kevin Ramírez

Printed in Guatemala

Índice

Table of Contents

René Corado

Gerente de la Western Foundation of Vertebrate Zoology, el museo de colecciónes más grande de huevos y nidos de aves del mundo, desde 1985. Ha hecho una larga trayectoria profesional, como investigador de huevos y nidos de aves, en Ecuador, Costa Rica, Estados Unidos (California) y Guatemala.

Es fundador de *El Lustrador Foundation,* que apoya a niños de escasos recursos para que puedan estudiar. Ha publicado el libro *El lustrador,* 2014, declarado "Patrimonio Cultural" de Guatemala. Ha coeditado *Birds'Nests of the World,* 2012, con Linnea Hall*; Dreams of a Shoeshine Boy,* 2011*;* y coeditado *Egg & Nest,* con R. Purcell y Linnea Hall, 2008.

Ha recibido varios premios, entre ellos el Reconocimiento al Escritor Guatemalteco del 2015, en Hollywood, California.

René Corado

Collections Manager of the Western Foundation of Vertebrate Zoology, the Museum with the largest collections of eggs and nests of birds of the world, since 1985. He has made a long career as a researcher of eggs and nests of birds in Ecuador, Costa Rica, United States (California) and Guatemala.

He is the founder of the El Lustrador Foundation, which supports children with limited resources so that they can have an education. He has published the book El Lustrador, 2014, declared a "Cultural Patrimony" of Guatemala. He co-edited Birds' Nests of the World, 2012, with Linnea Hall; Dreams of a Shoeshine Boy, 2011; and co-edited Egg & Nest, with R. Purcell and Linnea Hall, 2008.

He has received several awards, among them Guatemalan Writer of 2015, in Hollywood, California.

Introducción

Nunca pensé que un breve sueño, durante un vuelo muy turbulento, terminaría en este grandioso desenlace: *"Las Aventuras de René Corado, El lustrador"*.

No cabe duda de que, si ponemos acción en los sueños, muchos se alcanzan. Todo comenzó en un viaje de California a Luisiana, cuando viajaba con mi amiga y colega bióloga Linnea S. Hall, en el último vuelo de ese día para Luisiana, durante una tormenta tropical que azotaba el estado y no permitía que la nave aterrizara.

El resultado –con la notas que escribió mi amiga durante el viaje– fue un libro para mi familia, que se amplió con el fin de distribuirlo después entre un público más amplio, titulado *El lustrador*. Este libro me ha brindado muchas satisfacciones y ayudado a obtener algunos reconocimientos. También me ha enseñado que la vida vale la pena vivirla.

La razon de imprimir *"Las aventuras de René Corado, El lustrador"*, es transmitir –mediante imágenes y palabras– a nuestros niños y jóvenes lo importante que es creer en los sueños, y que yo resumo como esto: un sueño no se puede alcanzar si no sembramos toda nuestra acción dentro de él. Como padre y pensando que tú, lector, también lo eres, deseo fervientemente que, al leer este libro, te animes a seguir cualquier sueño que tengas; si se trata de los sueños de tus hijos, anímalos a que sigan volando. No hay sueño descabellado ni imposible de alcanzar. *The impossible dream* es una forma de posibilidad. Y un crimen sin nombre cortarles a los sueños las alas.

Introduction

I never thought that a brief dream, during a very turbulent flight, would end in this great outcome: "The Adventures of René Corado, the Shoeshine Boy."

There is no doubt that if we put action into dreams, many are reached. It all started on a trip from California to Louisiana, while traveling with my friend and colleague biologist Linnea S. Hall, on the last flight of the day to Louisiana during a tropical storm that lashed the state and would not allow the aircraft to land.

The result, with the notes that my friend wrote during the trip, was a book for my family, which was extended to distribute it to a wider audience, titled El Lustrador ("The Shoeshine Boy"). This book has given me great satisfaction and helped get some recognition. It has also taught me that life is worth living.

The reason for printing "The Adventures of René Corado, The Shoeshine Boy", is to transmit -through images and words- to our children how important it is to believe in dreams, and I summarize the message as this: a dream can not be achieved if we do not put our action into it. As a parent, and thinking that you, the reader, also are one, I wish fervently that by reading this book, you will be encouraged to follow any dream you have; if it is the dreams of your children, encourage them to continue flying. There is not a crazy or impossible dream. *The impossible dream* is a form of possibility. And a nameless crime is to cut off the wings of the dreams.

Decidí publicar este libro en edición bilingüe para darles a los niños la oportunidad de leerlo en los dos países que son parte de mi vida: Guatemala –donde nací, donde nació mi esposa y donde nació mi primera hija– y los Estados Unidos de América –el país que me abrió los brazos, donde nacieron mis otros hijos, donde me hice hombre y donde fui descubriendo el sentido de la responsabilidad–.

Nuevamente agradezco a mi familia todo el apoyo que me ha brindado y me sigue brindando en relación con este nuevo proyecto, especialmente a mi esposa Mary, que nunca me ha cuestionado ninguna de mis iniciativas, aunque pareciera descabellada o muy difícil de llevar a la práctica.

También quiero patentizar mi agradecimiento a mi amiga Linnea Hall, porque en todo momento me ha ofrecido su apoyo. Sin la clara visión de ella, ninguno de estos proyectos hubiera cobrado forma. Puedo hablar, leer y escribir en inglés, pero he querido asegurarme de que todo estuviera correctamente editado por alguien originario de los Estado Unidos y cuyo primer idioma fuera el inglés. Este es el caso con Linnea. Pero, además, es un honor haber escrito este libro en colaboración con ella.

Agradezco asimismo a Kevin Ramírez las bellas ilustraciones que hizo, y a Amable Sánchez el trabajo de la redacción y revisión del "Umbral" por el que nos invita a entrar a todos.

Como se puede fácilmente comprobar en la lectura, fueron muchas las aventuras de René Corado para alcanzar muchos de sus sueños, pero sus más importante llaves para poder abrir las puertas de tales sueños fueron la escuela y la educación. Recuerden, por favor, que la educación es de vital importancia para todo nosotros, seamos niños o seamos adultos.

Gracias por darme la oportunidad de entrar en sus hogares por medio de este libro.

René Corado

I decided to publish this bilingual book to give children the opportunity to read it in the two countries that are part of my life: Guatemala, where I was born, where my wife was born and where my first daughter was born, and the United States of America - the country that opened its arms to me, also, where my other children were born, where I made myself a man, and where I discovered a sense of responsibility.

Again, I thank my family for all the support they have given me and that they continued to provide on this new project, especially my wife Mary, who has never questioned any of my initiatives, although they seemed crazy or very difficult to implement.

I also want to give my sincere thanks to my friend Linnea Hall, because at all times I have been offered her support. None of these projects would have taken shape without her clear view. I can speak, read and write in English, but I wanted to make sure everything was properly edited by someone native from the United States and whose first language was English. This is the case with Linnea. But also, it is an honor to have written this book in collaboration with her.

I also thank Kevin Ramirez for making the beautiful illustrations, and Amable Sanchez's review work and writing of the "threshold" that invites us all to enter.

As you can easily see upon reading, there were many adventures René Corado took to achieve his dreams, but his most important keys to opening the doors to such dreams were school and education. Remember, please, that education is vitally important for all of us, whether we are children or adults.

Thank you for the opportunity to let me enter your homes through this book

René Corado

Umbral

Si andas buscando un libro famoso, no leas este. Si lo que buscas es un ejemplo que te ilumine y te ayude a seguir adelante, no dejes de leerlo. Quien lo ha escrito no es un escritor; es únicamente un hombre ejemplar. Si con esto te basta, sigue. Acompasa tu paso al suyo y camina con él. No te dará ninguna cátedra ni te someterá a ningún examen. Simplemente hablará de lo que sabe, que será lo mismo que hablar de lo que ha vivido y de lo que ha sufrido. Si aprendes a escuchar, pronto te sentirás amigo suyo. Será una suerte. Podrás darte cuenta de que ser un hombre cabal no es tan fácil como creen algunos, o quizá sea más fácil de lo que les parece a otros. Todo depende de cómo se oriente el corazón. En la vida no hay más que una brújula y un norte. Lo demás es un árido páramo, en el que suelen crecer espontáneamente la desconfianza, el egoísmo, la zozobra y a veces la ilusión sin fundamento.

Desde que empezó a vivir en El Chical –municipio de Morazán, departamento de El Progreso– y a descubrirse a sí mismo, René tuvo clara esta lección. Crecer como un bejuco, cazar una chorcha, atrapar un armado, bañarse en el Motagua era tan natural como aprender y ser feliz. Las múltiples carencias pesaban, pero pesaban menos. A ser feliz se aprende siéndolo, sin más leyes ni más complicaciones. El tiempo lo único que tiene que hacer es trascurrir marcándolo a uno. El Sol es el reloj de todos. Su partida de El Chical para vivir en la ciudad lo zarandeó como un pequeño terremoto íntimo. La ciudad le salió al paso

Threshold

If you are looking for a famous book, do not read this. If you are looking for an example that will light the way and help you move on, do not stop reading it. Whoever wrote it is not a writer; it is only an exemplary man. If this is sufficient for you, continue. Match the rhythm of your way to his and walk with him. He will not give you any lecture, or submit to you any test. He simply will speak what he knows, and it will be the same as speaking of what he has lived and what he has suffered. If you learn to listen, soon you will be his friend. It will be your luck. You will realize that being a real man is not as easy as some believe, or it may be easier than others think. It all depends on how the heart is oriented. In life there is only one compass and one north. The rest is an arid Paramo, a barren wasteland, where there tends to spontaneously grow distrust, selfishness, anxiety and sometimes baseless illusion.

Since he started living in El Chical –municipio Morazan department of El Progreso– and to discover himself, René has this lesson clear: Growing as a vine, catching an oriole, trapping an armadillo, and bathing in the Motagua were as natural as learning and being happy. The multiple shortcomings weighed, but weighed less. To be happy is learning how to be, with no more laws or more complications. All that time has to do is to continue marking us. The clock is the sun of everybody. The move from El Chical to live in the city shook him like a small intimate earthquake. The city steps in front

pertrechada de púas y conchas por todas partes: se erizaba como un puercoespín o se enconchaba como un armadillo. No era fácil dialogar con ella. La hosquedad era su cara y su sello. Pero había que aprender y aprendió.

Aprendió a mantener el difícil equilibrio en el inestable carrusel, que tan pronto podía levantarlo a uno como hundirlo; aprendió a hacerse los quites de los patojos peleoneros y a demostrarles que ser de un pueblo apenas visible en un punto del mapa no significaba ser ningún baboso; aprendió a lustrar los zapatos de prominentes señores y señorones, encumbrados en diversos niveles de la escala social, mientras él continuaba caminando descalzo como un recién nacido; aprendió a disputarle su pitanza a los propios perros callejeros, para que la olla familiar resultara menos descarnada; aprendió a leer, lo cual significaba poder deletrear e interpretar el mundo de otra manera; aprendió a corregir pruebas en un periódico, hasta que logró superar a los que habían llegado a la redacción antes que él; aprendió sobre todo que ser honrado y responsable era prácticamente la única moneda de curso legal, incluso en una sociedad falsa. Y su punto de mira era cada vez más alto y más agudo; y el horizonte se ensanchaba más cada mañana.

Así, empinado sobre una curiosidad sin límites y una confianza cada vez menos vacilante, trató de asomarse desde la cornisa de la frontera: México, los Estados Unidos, el mundo... El reto era decidir. Las "luces de la ciudad", de Chaplin, le hacían guiños desde el otro lado. Se casó. Al mes de casado, dio el paso. "México lindo y querido" no le resultó tan lindo ni tan querido. Una vez le robaron el poco dinero que tenía. Otra lo encarcelaron. Otra estuvieron a punto de matarlo. Pero pasó. Tres viajes hizo después, hasta que logró llevarse a la familia. Entre el Parque MacArthur de California

of him, fortified barb wire and shells everywhere: it bristles like a porcupine or is rolled like an armadillo. It was not easy to talk with her. The hostility was her face and seal. But he had to learn and learned.

He learned to maintain the difficult balance on the unstable carousel, which could quickly raise someone as well as sink them; he learned to avoid the bully kids and prove to them that to be from a village barely visible on a map point does not mean to be stupid; he learned to shine the shoes of prominent lords and big shots, very high at various levels of the social ladder, as he continued walking barefoot as a newborn; he learned to dispute his pittance with stray dogs themselves, so that the family pot didn't have less meat; he learned to read, which meant to spell the world differently; he learned to proofread in a newspaper, until he managed to overcome who started there before him; he especially learned that to be honest and responsible was practically the only legal currency, even in the most false society. And his focus was getting higher and sharper, and the horizon widened more every morning.

Thus, with a steep boundless curiosity and an increasingly wavering confidence, he tried to look out from the edge of the border: Mexico, the United States, the world... The challenge was to decide. "City Lights", of Chaplin, winked him from the other side. He married. A month later, he took the step. "Mexico lindo y querido" -- he did not find it so beautiful and so dear. Once they stole the little money he had. Another time he was imprisoned. Another time they were about to kill him. But he crossed. Three trips he made later, until he managed to take the family. Between the MacArthur Park area of California

y la zona seis de la ciudad de Guatemala no parecía haber tanta diferencia: traficantes, prostitutas, ladrones… Los Ángeles no era más que un nombre bello, enfático y vacío. En 1985, su hermana y su cuñado fueron asesinados entre aquellos… Ángeles precisamente y ninguno de ellos los protegió. Una bebé huérfana, que René adoptó después, fue lo que le dejaron. Una hija más, junto a los tres de su matrimonio. Y a trabajar: primero, aprender inglés. En 1991, se graduó con honores, recibió el diploma Plus Award y almorzó con el alcalde. Después obtuvo una beca, para ingresar en la universidad. ¿Empleos mientras estudiaba? Jardinero, cocinero y lavaplatos, empapelador de paredes, soldador de gabinetes, instalador de sistemas de riego, cuidador de orquídeas, pájaros y mariposas, explorador e investigador en la Amazonía ecuatoriana, hombre de confianza… ¿Qué hay que hacer y a cuánto hay que renunciar para terminar siendo un hombre de confianza?

Hasta la página 69 de este libro llega lo que narra su autor. En la 70 comienza lo que aconseja. Entre lo que narra y lo que aconseja hay una continuidad armónica. Lo que aconseja se nutre de lo que narra, porque lo que narra es lo que ha vivido, y lo que ha vivido vale la pena. Vale la pena, porque es fácil de entender y porque es auténtico. La autenticidad es la columna vertebral de la dignidad, de la solidaridad y de la coherencia. Entre sus múltiples reflexiones, me quedo al azar con esta: No te pares sobre otros para salir adelante. Más bien dales la mano si te la piden y si están dispuestos a trabajar duro con tu ayuda. Pero no pierdas el tiempo con alguien que no quiere trabajar como se debe. Siempre habrá alguien que está esperando tu mano para seguirte.

Como él mismo concluye, ¡buena suerte!

Dr. Amable Sánchez Torres

and zone six in the city of Guatemala there did not seem to be much difference: traffickers, prostitutes, thieves ... Los Angeles was just a beautiful, emphatic, and empty name. In 1985, his sister and his brother were killed among those Angels precisely, and none of them protected them. An orphan baby, who René adopted later was what they left him. One more daughter, along with three of his marriage. And to work: First, learn English. In 1991, he graduated with honors, he received the diploma Plus Award and had lunch with the Mayor. After that he won a scholarship to enter college. Jobs while he was studying? Gardener; cook and dishwasher; paperhanger on walls; cabinets welder; installer of irrigation systems; caretaker of orchids, birds and butterflies; explorer and researcher in the Ecuadorian Amazon; trustworthy man... What to do and how much to give to end up being a trustworthy man?

To page 69 of this book is the story its author narrates. On page 70 starts what he advises. Among what he narrates and counsels there is a harmonious continuity. What he advises feeds in with what he narrates, because what he narrates is what he has lived, and what he has lived is worth it. Worth, because it is easy to understand and because it is authentic. Authenticity is the backbone of dignity, solidarity, and coherence. Among its many reflections, I choose at random, this: *"Do not stand on others to get ahead. Rather give them a hand if they ask for it and are willing to work hard with your help. But do not waste time with someone who does not work as he or she should. There will always be someone who is waiting for your hand to follow you."*

As he concludes, ¡good luck!

Dr. Amable Sánchez Torres

El principio

❧ ⁓ ❧

The Beginning

René nació una madrugada, en una humilde casa de adobe, sobre una pequeña cama de pitas y petate, mientras la lluvia azotaba el pueblo entre relámpagos y truenos. Los gallos empezaban a cantar. Viviano, su padre, era la única persona hábil para asistir partos. Así lo había hecho cuando Dominga, su mujer, había tenido a sus seis hijos anteriores. En el pueblo no había hospitales ni médicos.

Viviano encontró el nombre de René en un viejo periódico. Pensó que si, como parecía, era francés, podría tener mucho éxito en Guatemala.

El niño creció entre arbustos espinosos, tunos, animales silvestres y aves de corral. "El Negrito", como empezaron a llamarlo por su piel oscura, creció semi-salvaje, libre en un mundo de montañas, pájaros, mariposas y paseos al río Motagua, en el que solía zambullirse alegremente.

René was born one morning in a humble adobe house on a small bed made of agave strings and with a mattress of palms. A strong storm with a lot of rain, lightning, and thunder was blowing. The roosters were singing. Viviano, René's father, was the only person who delivered babies in the village; he had helped Dominga, his wife, with their six previous children. In this town there were no hospitals or doctors.

Viviano found René's name in an old newspaper. He thought that the name of someone from France would be perfect because he would be successful in Guatemala.

After his birth, he grew up semi-wild among thorny shrubs, cactus, wild animals, and chickens. "The Negrito", as he was called because of his dark skin, grew up free in the middle of a world of tall hills, birds, butterflies, and trips to the river -- the Rio Motagua -- in which he often swam happily.

Primeros años

El Chical, cuando la vida se veía perfecta

The early years

El Chical, when life seemed perfect

Déjenme contarles algo de la aldea donde nació René. El Chical se encuentra en el municipio de Morazán, departamento de El Progreso, a unos 75 kilómetros al norte de la capital de Guatemala. Es el lugar más caliente de Centroamérica. Los bosques son espinosos y nunca llueve en la temporada seca. Cuando llueve, las tormentas son enormes. Durante la infancia de René no había carreteras ni carros, solo senderos para mulas. La aldea era muy simple y pobre: no había plomería, electricidad, ni agua potable; tampoco teléfono, carros, ni televisión. Ni policía, ni escuelas. Sólo casas de adobe, que Viviano cocía en hornos construidos por él mismo.

Viviano hacía de médico, dentista, curandero, barbero, arquitecto, ingeniero, carpintero... Era el hombre sabio de la aldea. Nunca asistió a la escuela, pero sabía leer y escribir, y era el único que podía hacerlo. A pesar de haber nacido en un mundo sin vacunas, higiene, zapatos o tiendas de juguetes, René creció feliz y despreocupado al lado de mamá Fina, madre de Dominga. Viviano se lo "prestó" a mamá Fina, porque ella vivía sola cerca de la casa de René. El niño creció pensando que su abuela era su verdadera madre.

Su abuelita le servía el almuerzo a la orilla del río. Mientras ella lavaba la ropa, René jugaba con la arena o buscaba en el río soldaditos, indios, caballitos de plástico, u otros juguetes que flotaban rio abajo, abandonados o perdidos por los niños ricos de la ciudad.

Let me tell you something of the village where René was born. El Chical, Guatemala, lies in the municipality of Morazán, in the Department of El Progreso, about 75 km north of the capital city of Guatemala. It is the hottest place in Central America. The forests are thorny, and it never rains in the dry season. But when it rains, the storms are huge. In René's childhood there were no roads or cars; only trails for mules. The village was very simple and very poor: there was no plumbing, electricity, or running water; no phone, car, tv, police, or schools. Only houses built by his dad with adobe, which Viviano made in ovens that he also built himself.

Viviano was the doctor, dentist, priest, barber, architect, engineer, and carpenter. He was the wise man of the village. He never attended school, but he knew how to read and write, and he was the only one who could in the village. But despite being born in a world without vaccines, hygiene, shoes, or toy stores, little René grew up happy and carefree at the side of his grandmother, Mama Fina, the mother of Dominga. Viviano "loaned" René to Mama Fina, because she lived alone near their house. The child grew up thinking that his grandmother was actually his real mother.

His Grandmother was very good to him: she served him lunches on the banks of the river, and while she washed clothes, René played in the sand or looked in the river for plastic soldiers, Indians, little horses, and other toys that floated downstream abandoned or lost by the rich children of the city.

Como niño normal y curioso, también estaba pendiente del nacimiento de los pichones de los torobojo[1] que anidaban en los barrancos del río, en tunelitos excavados a veces por él mismo. Igual solía hacer con los nidos de las chorcha[2], que pendían como incensarios de las ramas de los árboles. Desde niño se sintió atraído por el entorno natural, sobre todo en lo relacionado con la botánica y la zoología. Su padre siempre lo regañaba por molestar a los animales, pero eso nunca limitó su curiosidad.

Casi nunca tuvo problemas con mamá Fina, porque si le pedía algo y ella lo tenía, se lo daba inmediatamente. La viejita lo adoraba y él también la adoraba a ella. Pero en algunas ocasiones desobedeció.

Un día, cuando su abuelita salió a cortar leña, jaló una silla y fue a husmear en una canasta con pan y algunos bocadillos que ella había guardado en una llanta que Viviano había colgado del techo, para evitar que las ratas y otros animales se los comieran. ¡Qué desastre! ¡Mamá Fina regreso por el machete precisamente cuando metía la mano en la canasta de los panes!

–Estoy enojada con vos, René. Sabés que si querés algo, solo tenés que pedírmelo y te lo doy. Sintió que el mundo se le derrumbaba. Lloró sin parar durante varias horas, hasta que ella lo abrazó y lo perdonó. Nunca más hizo algo que la molestara.

---

1. Momotos
2. Orioles

As a normal, curious child, René was alert for the hatching of motmot chicks in the nests that were built in the walls of the river. These birds nest in cavities that René would dig into. He also investigated oriole nests, which hung like Catholic censers from the tree branches. As a child he was attracted by the natural environment His father always scolded him for disturbing animals, but that didn't stop him from being curious.

He almost never had any problems with Mama Fina, because if he asked for something and she had it, she gave it to him immediately. The little old woman adored him and he adored her. But on some occasions he disobeyed.

One day when his grandmother went out to cut wood, he pulled a chair and went up to investigate a basket with bread and other snacks that she had saved in a tire that Viviano had hung from the ceiling to prevent rats and other animals from eating their food. But, what a disaster! Mama Fina came back for her machete precisely when he put had his hand into the basket with the bread!

"I am angry with you, René! You know that if you want something, you only have to ask me and I will give it to you". He felt that his entire world collapsed! He cried without stopping for several hours, until she embraced him and forgave him. He never again did something that would upset her.

La vida transcurría normalmente en El Chical y René siguió creciendo libre y alegre. Generalmente, lo único que ocurría eran las travesuras que Miguel, su hermano, le hacía. Muchas veces sus bromas los pusieron en problemas con su padre.

Más de una vez recogían llantas de carro en el río y las echaban a rodar colinas abajo, entre arbustos espinosos, con su hermanita Yolanda dentro. Por suerte, nunca le rompieron un hueso: siempre se mantuvo dentro de las llantas, mientras rodaban. Yolanda se vengó como pudo: algunas veces los puso en problemas con Viviano.

Alfredo y Carlos, dos hermanos mayores que René, salieron de la aldea cuando cumplieron dieciocho y emigraron a la capital. En realidad, nunca le prestaron gran atención a su hermano, porque era bastante más joven que ellos, y Alfredo siempre se mantenía muy ocupado criando gallos de pelea.

Life continued normally in El Chical, and René continued to grow free and joyful. The only negative events that ever occurred usually happened with Miguel, René's older brother, who made a lot of mischief. Many times their antics got them in trouble with their father.

Several times they picked up car tires from the river, and rolled their sister Yolanda, inside the tires, down hills covered with thorny bushes. Luckily, she never broke any bones because she was very skinny; she always stayed inside the tires when they rolled. Yolanda got her revenge: sometimes she got them in trouble with Viviano.

Alfredo and Carlos, René's two older brothers, left the village when they turned 18, and migrated to Guatemala City. In reality, at this time they weren't interested in their little brother, because he was so much younger than them, and Alfredo was always very busy raising fighting roosters.

La rutina diaria de René era llevar el ganado de la familia a beber agua en el río desde la aldea y regresarlo otra vez a ella: eran más o menos siete kilómetros de ida y vuelta a pie. René caminaba descalzo, entre cactus más altos que una casa y arbustos con espinas del tamaño de sus dedos. A veces las espinas se le clavaban, pero le encantaba la caminata. Por el camino sorprendía a los pájaros, las iguanas y los armadillos. Algunas veces una pieza de estas le servía de cena.

Vivir en El Chical era muy hermoso, porque René pensaba que cada día de su vida era una bella copia del día anterior, con árboles frutales, insectos gigantes de muchos colores, hermosas aves de cantos polifónicos y, por supuesto, su querida abuelita. Él era muy alegre, porque, aunque vivía en una pequeña casa de adobe de solo dos habitaciones, tenía el jardín más grande del mundo en sus manos, rodeado por las montañas de El Chical.

Sin embargo, en 1968, cuando René tenía ocho años, fue de repente sacado de su pacífica vida, porque sus padres se lo llevaron a él y a sus hermanos a vivir en la ciudad capital. No le preguntaron si estaba de acuerdo o no. No le dieron tiempo para despedirse de familiares o amigos, porque la idea era salir de la aldea sin decírselo a nadie. Don Viviano decidió, sin más, que tenían que trasladarse a la ciudad.

René's daily routine was to bring the family's cattle to drink water in the river, to and from the village -- at least a seven kilometer round trip walk. René walked barefoot, among cactus that were higher than a house and bushes with thorns the size of his fingers. Sometimes he got long thorns in his feet, but he loved the walk. Sometimes he caught animals while he walked -- birds, iguanas or armadillos. Sometimes one of these pieces would be dinner for the family.

Living in El Chical was very beautiful because René thought that each day of his life was a pleasant copy of the previous day. He loved the fruiting trees; the giant, colorful bugs; the beautiful and loud birds; and of course, his beloved grandmother. He was very happy because, although he lived in a small adobe house of only two rooms, he had the largest garden in the world at his fingertips, surrounded by all the mountains of El Chical.

However, in 1968, when René was 8 years old, one day he was suddenly pulled from his peaceful life when his parents took him and his siblings to live in the capital of Guatemala. They didn't ask him if he was in agreement or not, and they didn't give him time to say goodbye to family or friends, because the idea was to get out of the village without telling anyone. Don Viviano had decided that they needed to move to the City

Ciudad de Guatemala

Cuando hay miedo y dificultades, tienes que continuar

Guatemala City

When there are fear and difficulties, you must continue

anyway

El día que dejó El Chical, René vio por primera vez en su vida un autobús —para él, el primer vehículo motorizado—, pues hasta entonces solamente había viajado en mula, en caballo o simplemente a pie. Cuando lo vio acercarse, creyó que era un animal gigante y loco que intentaba embestirlo. Trató de huir de regreso a la aldea, pero su hermano Alfredo, que había llegado desde la capital a recogerlo, lo detuvo y lo metió, pataleando y dando gritos, en el extraño artefacto. Apenas el autobús empezó a moverse, preguntó: ¿por qué todos los árboles corren tan rápidamente hacia atrás?

The day he left El Chical, René saw for the first time in his life, a bus. For him this was the first motorized vehicle he'd seen, since his only transport vehicles had been mules, horses, or his own two feet. When he saw it coming he thought that it was a giant, mad animal that wanted to hurt him. He ran back toward El Chical, but his brother Alfredo, who had come from the capital to pick him up, stopped him and carried him, kicking and screaming, onto the strange monster. When the bus began to move, René wondered why all the trees were running so fast backwards outside the windows!

Cuando llegaron a casa, en la ciudad, Alfredo golpeó la pared y ocurrió un milagro... ¡Se hizo la luz! René nunca había visto la luz eléctrica y se volvió loco tratando de hacer lo mismo que su hermano, golpeando repetidamente la pared con el puño. Pero esa primera noche la luz no se hizo. Pensó que lograría hacerla más adelante, porque, después de todo, era nuevo en la ciudad y tendría que aprender muchas cosas nuevas.

El impacto del cambio de El Chical a la ciudad de Guatemala fue duro y trágico. Era como si acabara de salir de una cueva. Cuando le decía, por ejemplo, «hola» a la gente que se encontraba por la calle, nadie le contestaba: cada uno se veía preocupado por sus propios problemas y nadie tenía tiempo para ponerle atención a un niño descalzo.

When they arrived at their new house in the city, Alfredo hit the wall and a miracle happened... He made light! René had never seen an electric light and went crazy trying to do what his brother did, by hitting various parts of the wall with his fist. But that first night, René could not make light. He told himself that he would learn how to do this later, because after all, he was new in town and he had to learn many new things.

The impact of the change from El Chical to Guatemala City was huge and tragic. It was as if he had just emerged from a cave. The city was tough for him. For example, when he said "hello" to the people in the streets, nobody answered; each person was worried about his own problems and didn't have time to pay attention to a barefooted child.

En la ciudad vivía su primo, que había dejado El Chical hacía unos años y era dos años mayor que él. Este primo ya se había adaptado y en cierto modo sentía un poco de vergüenza cerca de René, porque hablaba raro, no usaba zapatos y seguía actuando de una manera un poco extraña.

El primo se dio cuenta de que podría divertirse a costa de él, pues René desconocía totalmente las bromas de los muchachos de la ciudad. Por ejemplo, un vecino cobraba un centavo a cada niño por ver la televisión durante un par de horas. El primo pagó y le dijo a René: "la televisión es una máquina donde miras indios peleando contra vaqueros".

También le advirtió: "debes tener cuidado, porque si se escapa una bala o una flecha pueden ser fatales…" René, ingenuo, se lo creyó, y mientras veía la televisión se pasaba el tiempo esquivando las balas y las flechas, en lugar de disfrutar la película.

Una vez hasta decidió huir del lugar, para salvar su vida, mientras su primo se reía. Después el primo le dijo que la película no era la realidad y René se sintió muy avergonzado.

René's cousin lived in Guatemala City. He had left El Chical a few years before and was two years older than him. This cousin had already adapted to the city and in some ways was a little embarrassed by René, because he spoke weirdly, did not use shoes, and acted differently from city boys.

One time the cousin realized he could have some fun at René's expense, since he didn't know the jokes of the boys from the city. For example, a neighbor charged a penny for each child to watch tv for a couple of hours. The cousin paid for René and told him that "The tv is a machine where you see Indians fighting against cowboys.".

He also warned him: "You should be careful because a bullet of the cowboys or an arrow of the Indians could be fatal…" René, naively believed it, and while he watched the movie he dodged bullets and arrows instead of enjoying the film.

Finally he decided to run out of the place to save his life, while his cousin laughed. Later his cousin told him that the movie wasn't real, and René felt terribly embarrassed.

Como si esta confusión no bastara, tuvo que abandonar a sus mascotas –sus queridos perros– en El Chical y resignarse ante la ausencia de mamá Fina. Ella le había prometido que nunca lo dejaría solo, y ahora, de repente, lo había dejado. Ella no había viajado a la capital con el resto de la familia.

René se sintió abandonado por su abuelita y medio perdido en la ciudad. Dejó de comer y en un par de semanas cayó enfermo. Durante los meses siguientes perdió mucho peso y su piel empezó a despegarse de su cuerpo: era como si una serpiente estuviera cambiando de piel. Sus padres tuvieron que ponerse en contacto con su abuelita a través de una emisora de radio y la llamaron para que viajara a la ciudad a visitar a René. Si no, probablemente moriría.

Alguien oyó la noticia y avisó a mamá Fina. Ella viajó a la capital. René no podía parar de llorar cuando la vio. Se quedó en la ciudad durante seis meses, mientras René recuperó la salud, luego se fue otra vez. Fue muy doloroso para él cuando se marcho y volvió a enfermarse. Tuvieron que llamarla dos veces más, para que él sobreviviera. La última vez que lo dejó fue capaz de recuperarse sin su presencia, aunque todavía la extrañaba mucho.

As if the pain and confusion of adapting to the new City weren't enough, René also had to leave his pets - his beloved dogs – back in El Chical, and he also terribly missed Mama Fina. She had promised that she never was going to leave him and now suddenly she had left him. She didn't travel to the City with the rest of his family.

Feeling abandoned by his grandmother and lost in the city of Guatemala, René stopped eating, and within a couple of weeks he got very sick. During the following months he lost so much weight that his skin started to peel off his body, like a snake shedding its skin. His parents had to contact his grandmother through a radio station and ask her to travel to the city to visit René. If not, they were afraid he would probably die.

Someone heard the news in El Chical and told Mama Fina and she traveled to the capital. René could not stop crying when he saw her. She stayed in the city for six months while his health improved, and then she left again. It was very painful for him when she left, and once again he became ill. They had to call her back – twice more -- for him to survive. The last time she left him he was able to recover without her presence, although he still missed her a lot.

Hubo otras razones por las que la vida en la ciudad le resultaba difícil. Todos en su familia eran campesinos y no tenían la ropa apropiada para la ciudad ni tampoco dinero.

Algunos niños se reían de René porque sus pantalones eran cortos, estaban llenos de agujeros y no usaba zapatos. Otros eran muy crueles y lo llamaban «El Negro», debido a su piel oscura. Se sintió herido. Vivía en un mundo totalmente diferente de su amado paraíso, El Chical, donde podía acostarse a la sombra de un árbol, escuchar el canto de los pájaros y observar el vuelo de las mariposas, sin ser interrumpido por el ruido de una motocicleta o una pelea con un niño marrullero.

Al principio los niños también lo golpeaban porque no estaba acostumbrado a pelear, y a veces lo atacaban en grupo. Le costó aprender a defenderse por sí mismo. Su hermana mayor le ayudaba frente a los demás niños, porque ella era mayor que todos ellos. Un día los retó y les dijo que tenían que pelear con René, pero uno por uno. De esa manera se pudo defender y ya no hubo más problemas con ellos. Se ganó el respeto de todos a puño limpio y terminaron apodándolo «Kumali», en honor de un campeón de lucha libre.

For other reasons too, life in the city was difficult. His family members were ranchers who did not have the same types of clothes as those used in the city, and had no money.

Some children laughed at René because his short pants were full of holes and because he didn't wear shoes. Other children were very cruel and told him that he was very ugly, and they called him "The Negro" because of his dark skin. He felt hurt. He now lived in a cruel world so different from his paradise El Chical, where he could lie down under the shade of a tree and listen to the singing of birds or and observe the flight of butterflies without being interrupted by the noise of a motorcycle or a fight with some punk child.

In the beginning the children also beat him up because he was not accustomed to fighting, and sometimes they attacked in a group. It took time to learn how to defend himself; his sister helped him because she was older than all of the kids. One day she grabbed them and told them they had to fight René one by one and not in group. This way he was able to defend himself, and there were no more problems with them. He earned their respect with a pure clean fist, and also the nickname of "Kumali", in honor of a wrestling champion.

René no entendía por qué se vendían frutas y pollos en la ciudad. En El Chical la frutas eran gratis y los pollos no se vendían, sino se intercambiaban por miel y queso.

El dinero era algo nuevo para él. Cuando aprendió lo que era, recibió tal impacto que ya no lo abandonó en su vida. Su familia era extremadamente pobre y apenas ganaban lo suficiente para comer. Frijoles y tortillas eran su menú diario. Su padre había procurado traer bastante frijol y maíz de El Chical, así es que, estirándolo un poco, se ingeniaron para que les alcanzara hasta que encontró trabajo. Sin embargo, lo que ganaba Viviano no alcanzaba para proveer comida suficiente, casa y ropa para toda la familia. Ante esta necesidad, René decidió trabajar para ayudar un poco. A la edad de ocho años comenzó a lustrar zapatos y se convirtió en uno de los principales proveedores del hogar. Asistía a la escuela pública por la mañana y por la tarde trabajaba como lustrador.

René also did not understand why they bought and sold fruit and chickens in the city, whereas in El Chical fruit was free and chickens were not sold but were traded for honey and cheese.

Money was something new for him. Once he learned about it, it had a big effect on him for the rest of his life. His family was extremely poor, and barely had enough money to eat. Beans and tortillas were the daily menu. His dad had brought a lot of beans and corn from El Chical, so they had enough to eat until his dad found work. However, Viviano's salary was not enough to provide regular food and clothing for the whole family. Seeing all this need, René decided to go to work to help. At the age of 8 years old, he began to shine shoes, and became one of the main providers for the family. He attended public school in the morning and then worked as a shoeshine boy later in the afternoon.

Cada día después de la escuela por las tardes y los fines de semana de ocho de la mañana a las seis de la tarde, recorría las calles, buscando zapatos para lustrar. Nunca les habló a sus padres de los problemas que tuvo mientras desempeñaba esa tarea. Así los protegía y cuidaba de ellos. Solo le daba a su madre el dinero y la comida que le regalaban las personas buenas. Si ellos hubieran tenido noticia de las humillaciones por las que tuvo que pasar, no habrían sabido qué hacer.

René aprendió a ser un buen lustrador. Viviano siempre decía que el trabajo duro era la única manera de salir de la pobreza, y que también hace al hombre orgulloso. Por eso, René trabajó muy duro, sacando brillo a los zapatos de militares, médicos, abogados y profesores, que le pagaban más dinero que los clientes de la calle y a veces también le daban algo de comida. Después que lo conocían le tomaban confianza, y muchos de ellos incluso lo invitaban a comer con ellos a su mesa. Así aprendió a usar tenedores y cuchillos.

Esta experiencia le hizo soñar con tener algún día una casa grande, donde abundara la comida, y comprarse un carro. Eran sueños de rico, para un niño que deambulaba y crecía por los barrios más pobres de la ciudad.

La mayor parte del dinero que ganaba se lo daba a su madre, para que pudiera comprar comida. Normalmente llegaba con comida que pedía en la casa de algunas familias ricas, o con sobras que encontraba en los comedores de la estación de buses. Siempre llevó a casa lo mejor que encontraba. No contó nunca que él se alimentaba con lo que encontraba en el basurero del mercado. A veces hasta tenía que competir con los perros de la calle, para no quedarse sin comer.

Every day after school in the afternoon, and weekends from 8 am to 6 pm, he walked the streets looking for shoes to clean. He never told his parents about all the problems that happened while he worked; that way he protected them and took care of them. He only gave his mother the money and the food that good people gave him. If they had known all of the abuse and humiliations he had to suffer, they might not have known what to do.

René learned how to be a good shoeshine boy. Viviano had always said that hard work was the only way in which he was going to come out of poverty, and that work makes a man proud. So, René worked very hard shining the shoes of military officials, doctors, lawyers, and teachers, who paid more money than the customers of the street and also sometimes gave him food. After they got to know him they trusted him, and many of them even invited him to eat at their own tables with them, where he was taught how to use forks and knives.

These experiences made him dream that one day he could have a big house, lots of food, and a car. These were the dreams of a child growing up in the poorest neighborhoods in Guatemala City.

Most of the money he earned he would give his mother so that she could buy food. René normally came home with food that he asked for at the houses of his wealthy clients, or with leftovers that he found in the dining room at the bus station. He always took the best food to his house, and never told his parents that he was searching for food for himself in the trash of the market places. Sometimes he had to compete with the dogs in the street for food in a dumpster in order to have a lunch for himself.

Otra pérdida

Cuando la vida se lleva lo que amas,

aun así tienes seguir adelante

Another loss

When life takes what you love,

you still have to go forward.

René admiraba a su hermano Alfredo. Era el segundo de los hermanos, después de Carlos. Era también valiente, inteligente y guapo. No tenía miedo de nada ni de nadie, pero desde niño tenía un defecto en el corazón: la sangre no era bombeada correctamente y necesitaba una operación muy costosa. La familia no podía pagar la operación y desde niño él supo que moriría joven. Aun así se reía de la muerte y adoraba la vida. Siempre decía: «La vida es corta. ¿Por qué no disfrutarla mientras se pueda?». René trató de absorber esta filosofía profundamente, tanto en El Chical como en la ciudad. Alfredo era su mejor amigo, su mentor y su apoyo. Siempre le decía a su pequeño hermano que era muy inteligente y que llegaría muy lejos. Lo llamaba "El Cabezón» y le auguraba que sería el primero de la familia en ir a la universidad. Siempre le prometió que lo ayudaría a llegar. Pero cuando Alfredo cumplía los 24 años y René tenía solo 12, Alfredo comenzó a tener serios problemas con el corazón. Su cuerpo se hinchó primero y finalmente ya no se podía levantar de la cama. Le pidió a René que lo cuidara cuando pudiera y René pasó muchas horas junto a él. Algunas noches incluso dormía a su lado una o dos horas.

Dos días antes de cumplir los 24 años, Alfredo murió. Muchas personas asistieron a su funeral. Su entusiasmo por la vida y todo lo asociado con ella –diversión, peleas, amor– había impactado a todos los que lo rodeaban, pero sobre todo a René. René había perdido a más que a una persona con la muerte de su hermano; había perdido a un amigo, un guía y un consejero. Más de una vez, Alfredo había llegado a ser también un padre. Con su muerte, René comenzó a perder incluso la fe en sí mismo. Era algo parecido a la pérdida de mamá Fina.

René admired his brother Alfredo. He was the second of the brothers after Carlos. He was also courageous, smart, and handsome. He was not afraid of anything or anybody, but he had a defect in his heart, and he needed a very expensive operation to fix it. However, the family could not afford the operation, and ever since he was a kid he knew that he was going to die young. Even with that he laughed at death and adored life. All the time he said, "Life is short, why not enjoy it while you still can!" René tried to absorb this philosophy deeply in El Chical as well as in Guatemala City. Alfredo was his best friend, mentor, and supporter. He always told his little brother that he was very intelligent and that he was going to go far in life. He called him the "Cabezon" and he said he was going to be the first in the family who would go to a university. Alfredo always promised René that he was going to help him get there, but when Alfredo was in his early 20s, and René was only 12 years old, Alfredo began to experience serious problems with his heart. His body swelled and finally, he could no longer move from the bed. He asked René to take care of him when he could and René spent many hours with him at the edge of the bed, sometimes even sleeping with him for an hour or two.

Two days before his 24th birthday, Alfredo died. Many people attended his funeral. His enthusiasm for life and everything associated with it - fun, fights, and love - impacted everyone around him, but especially René. René lost many people with the death of his brother, including his friend, guide, and counselor. Alfredo was also like a father to René. With this loss, René began to lose faith in himself. It felt so much like losing his Mama Fina again.

Durante el año que siguió, René lo vio todo como desenfocado y borroso. Continuó trabajando como lustrador, pero se sentía vacío y muerto por dentro. Continuo atendiendo la escuela y se graduó de 6to grado en 1973. Pero su dolor era profundo e intenso. La capital no le había brindado muy buenos momentos. Desde que se había alejado de El Chical, casi todo parecía dolor y pérdida.

Cuando tenía trece años, consiguió un trabajo de limpieza y de mandadero en un periódico. Su jefa era una mujer muy inteligente, que notó pronto lo rápido que aprendía y lo duro que trabajaba. Lustró los zapatos de su esposo, del director del periódico, lo mismo que los del resto del personal. Una vez su jefa le dijo que algún día podría llegar a ser el supervisor. Sin embargo, al principio, casi todos los hombres que trabajaban allí se rieron de él y le decían: «Vení y limpiá mis zapatos, lustrador». Él se sintió muy herido y humillado con esa burla. En aquel momento decidió que iba a luchar duro y hacer lo necesario para aprender a manejar todas las máquinas en aquel negocio, y que algún día llegaría a ser el supervisor. Demostraría que era capaz de hacer más que lustrar zapatos.

During the year that followed Alfredo's death, everything was unfocused and blurry for René. He continued to work as a shoeshine boy but felt empty and dead inside. He also continued to go to grade school, and in 1973 he graduated from the 6th grade. However, the pain during this time was very intense. The capital of Guatemala had not given him very good moments. Almost everything he'd experienced was pain and loss since he was taken from El Chical.

When he was 13 years old, René got a job cleaning floors and running errands in a newspaper publishing house in Guatemala City. His boss was a very smart woman, who noted how fast he seemed to learn, and how hard he worked. He cleaned the shoes of her husband, the director, and also the shoes of the rest of the newspaper's staff. One day René's boss told him that he could be supervisor one day. However, in the beginning, almost all the men who worked there laughed at him and said, "Come and clean my shoes, shoeshine boy". He felt quite wounded and humiliated at the mockery, but he decided he was going to fight hard and do what was necessary to learn to operate all the machines in the business and one day become the supervisor. He was going to show them that he was capable of doing more than shining shoes!

Los dueños contrataron a una profesora para educar a los trabajadores que estuvieran interesados en aprender edición y corrección de pruebas. Aproximadamente treinta y cinco empezaron la primera clase. Únicamente la concluyó René, fiel siempre a su sueño de ser más que un lustrador de zapatos. La maestra y los dueños del periódico le permitieron continuar, y cuando las clases terminaron, la profesora incluso lo invitó a seguir tomando clases complementarias en su casa. Cuando la señora no podía impartir las clases, lo hacía su hija, que también era maestra.

La señora sufría de depresión y estaba muy enferma, pero el deseo de René de aprender y salir adelante a la propia maestra le dio energía y esperanza. Durante un año, René y su maestra pasaron muchas horas juntos y se hicieron buenos amigos.

Ella murió al final del año, de cáncer, pero la compañía y la esperanza que ella y René compartían hizo que el último año fuese feliz. Era otro apoyo que desaparecía, pero René siguió luchando. Año y medio más tarde fue ascendido a supervisor de encuadernación. Así llegó a ser jefe de los hombres que se habían burlado de él. Gracias al trabajo duro y creyendo que podía lograr sus sueños, lo nombraron supervisor de un grupo de trece hombres, todos mayores que él.

The newspaper owners hired a teacher to educate the staff members who were interested in editing and correcting the newspaper. Approximately 35 employees began the class. Only René finished the class because he stuck to his dream of being more than a shoeshine boy. The teacher and the newspaper owners allowed him to take the class by himself, and when he finished, the professor even invited him to continue taking additional classes at her home. Once the woman could no longer teach classes, her daughter, who also was a teacher, continued the lessons.

She was suffering from depression because she was very ill, but René's desire to learn and to get ahead in life gave her energy and hope. For a year, René and the teacher spent many happy hours together, and became good friends.

She died at the end of the year, of cancer, but because of their companionship and the hope that René and she shared, her last year was a happy one. However, for René, another friend was gone. He chose to keep fighting on, though. A year and a half later, he was promoted to supervisor in the newspaper department. He became responsible for the men who had mocked him. Thanks to the hard work, and the belief that he could accomplish his dreams, he became supervisor of a group of 13 men, all older than him.

Migración a California
Sigue tus sueños y lucha por ellos

Migrating to California
Follow your dreams and fight for them

René ganaba un buen sueldo en el periódico, pero después de un tiempo los trabajadores comenzaron a ser difíciles de tratar y él empezó a pensar en emigrar a los Estados Unidos.

Antes de irse, con el dinero que tenía ahorrado compró algunos libros y discos de música. Se convirtió en un ávido lector y esto enriqueció su vida. Leyó toda clase de la literatura de ciencia ficción, viajes, política, e incluso algunas obras de Gabriel García Márquez y de Miguel Ángel Asturias. Los libros lo ayudaron a liberarse de sí mismo y de su entorno, y hasta pudo viajar mentalmente a México, California y España. Cuando lustraba, oía a sus clientes hablar de viajes a lugares exóticos y remotos. Siempre soñó con hacer lo mismo y los libros se convirtieron así en sus confidentes.

También conoció a una bonita chica, llamada Mary, y se casaron. Un mes después de casado, decidió irse a California para ganar dinero y abrir su propia imprenta. De alguna manera, nada pasó como lo había planeado y tuvo que hacer tres viajes a California antes de poder llevarse a su familia con él. En estas idas y venidas tuvo que pasar por muchas penalidades: una vez le robaron todo su dinero; otra fue encarcelado en México y estuvo a punto de morir.... Viajar hacia el Norte significaba un gran riesgo, más si has dejado en Guatemala gente a la que amas. Radicarse en cualquier lugar fuera del país natal constituye una verdadera odisea. Como es natural, conseguir una visa de viaje o papeles de inmigrante es una vía mucho más segura.

René earned a good wage at the newspaper, but after a while he began to think about migrating to the United States to make more money.

Before he left, with the money he earned at the newspaper, he bought books and music records. He became an avid reader, and this enriched his life. He read all kinds of literature, from science fiction to travel stories, to politics, including books of Gabriel García Márquez and Miguel Angel Asturias. By means of the books he mentally escaped his situation in life and experienced many new aspects of life, including traveling to Mexico, California and Spain. While cleaning shoes he had listened to his customers talk about travel to exotic and remote places. He always dreamed of doing the same, and the books became his inspiration.

He also met a nice girl, named Mary, and they got married. A month after being married, he decided to go to California to earn money to open his own printing press. But somehow, nothing went as planned and it took René three trips to migrate to California before he could bring his family there with him. He had a very hard time on these trips: one time all his money was stolen, another time he was put in prison in Mexico, and another time he almost died... Traveling to the North is a great risk, especially if you have people you love in Guatemala. Immigrating anywhere out of your native country is truly difficult. Naturally, getting a travel visa, or your immigrating papers, is a much safer way, and in the end, much easier.

Después de llegar a los Estados Unidos, vivió en una de las peores zonas de California, el Parque McArthur, en Los Ángeles. Trabajó muy duro día y noche, haciendo todo tipo de trabajos, pero no podía trabajar en un periódico, porque todavía no hablaba ni escribía inglés. Después de nueve meses, había ahorrado lo suficiente para pagar a un "coyote" y llevarse a Mary y a su hija Claudia a Los Ángeles. Las condiciones donde vivia en Los Angeles era horribles, peores que en el barrio de la zona seis de Guatemala. Abundaban las prostitutas, los traficantes de drogas y los ladrones. Los Ángeles no era bonito: en poco se parecía a lo que contaban los libros y las películas. El "confort" mostrado en la televisión era solo de la gente rica, no de los emigrantes. Cuando se empieza sin papeles, hay que hacerlo desde lo más bajo. Solo con mucha suerte, esperanza y fuerza de voluntad puede un inmigrante pobre llegar lejos.

En 1985, la tragedia llamó nuevamente a la puerta de René: su hermana Adelina y el esposo de la misma fueron asesinados en Los Ángeles. La única persona que los asesinos dejaron viva fue a la bebé, hija de ambos, de nueve meses de edad. René tuvo que pagar los costos del funeral. Tardó en ello varios meses, porque al mismo tiempo él y su esposa Mary decidieron adoptar a la bebé huérfana. Tuvo que luchar en los tribunales durante los siguientes dos años para poder adoptarla, pero lo consiguió y al final se encontró rodeado de cuatro hijos hermosos.

After he finally made it to the United States, René lived in one of the worst areas in California, in the city of Los Angeles, in McArthur Park. He worked very hard day and night doing all kinds of odd jobs; he could not get a job at a newspaper because he did not yet speak or write English. After nine months, he managed to save enough money to pay a *coyote* to bring Mary and his daughter Claudia to Los Angeles. The living conditions were awful, worse than in the neighborhood where he lived in the barrio of zone 6 in Guatemala. There were prostitutes, drug dealers and thieves in this area; Los Angeles was not nice, and it didn't look like it was shown in movies and books. The "rich life" shown on TV is only for the rich, and not for the immigrants. When you start without immigration papers, you start at the bottom. Only with a lot of luck and with a lot of hope and willpower can a poor immigrant reach any higher.

In 1985, another tragedy knocked at René's door -- his sister Adelina and her husband were murdered in Los Angeles. The only person the killers left alive was the couple's 9 month-old baby. René had to pay the costs of the funeral; it took him several months to pay because at the same time Mary and he decided to adopt the orphaned baby. He had to fight in court over the next two years to be able to adopt her, but he finally did, and in the end, he was surrounded by four beautiful children.

Una de las cosas buenas que le sucedieron durante estos años fue que regresó a la escuela. En el invierno de 1982 fue a una tienda de donas. Llovía fuertemente y decidió tomar un café y una dona, para comer dentro del negocio. Todavía no hablaba mucho inglés y no podía comunicar bien al cajero lo que quería. Durante muchos días trató de obtener el alimento, pero la cosa no funcionaba. Entonces concluyó que lo que le faltaba era hablar el inglés fluidamente.

Interrumpió sus clases después de la muerte de su hermana y de su cuñado, pero las reanudó en 1988. Después de un año, el director le dijo que hablaba suficientemente bien el inglés para tomar el examen y comenzar la Preparatoria. Un par de meses más tarde sustentó el examen por el equivalente de la Preparatoria. De nuevo lo pasó.

El director le dijo que, habiendo superado la prueba, había terminado y no tenía que tomar otras clases para graduarse. Sin embargo, no quiso pecar de perezoso y decidió tomar todas las clases. En 1991 se graduó con honores, recibió el diploma *Plus Award* y fue seleccionado para asistir a un almuerzo con el alcalde de Los Ángeles.

One of the other good things that happened during these years is that René returned to school. In the winter of 1982 he went to a doughnut shop. It was raining a lot and he decided to have a coffee and a donut to eat inside the business. He still did not speak much English, and he could not communicate what he wanted to the cashier. He tried over many days to get the right food, but it didn't work. That's when he realized that he needed to go to school to learn English.

He interrupted his classes after the death of his sister and brother-in-law, but resumed in 1988. After a year of classes, the school director told him that he spoke enough English to take the exam for completion of Junior High School, and a couple of months later he also took the examination for the equivalent of High School. Again, he passed it.

The director told him that having passed that test he had already finished High School and did not have to take more classes to graduate. However, that seemed lazy to René, so he took all the classes anyway, and in 1991 he graduated with honors, receiving the "Diploma Plus Award" and being invited to a lunch with the current Mayor of Los Angeles.

Después de la graduación, el director le ofreció ayudarlo a encontrar una beca para ir a la universidad. René no creía en sí mismo lo suficiente como para pensar que podía llegar, así que no continuó su educación en aquel momento. A veces no creemos suficientemente en nosotros mismos y esto nos puede frenar en el camino. Pero la verdad es que es preferible ser optimistas y pensar que podemos hacer cualquier cosa

After graduation, the school director offered to help him find a scholarship to continue to the university. René did not yet believe enough in himself to think he could make it, however, so he did not continue his education at that time. Sometimes we don't believe enough in ourselves, and this can hold us back. But really, it's best if we have hope that we can do anything.

El museo

Sigue intentándolo, y conseguirás grandes cosas

The museum

If you keep trying, good things will come to you

Mientras vivía en Los Ángeles, René desempeñó muchos empleos, para poder alimentar a su familia: instalar líneas de riego en jardines, lavar platos y cocinar en un restaurante griego, pegar papel tapiz en hoteles, soldar gabinetes de metal para oficinas.

En 1982, tomó un trabajo de construcción en una fundación en Hollywood, donde ayudó a construir un sistema de riego y calefacción para miles de orquídeas. El dueño de la empresa era un fotógrafo de vida silvestre, que tenía su propio aviario en la azotea de su edificio de apartamentos.

Contrató a René para que cuidara ochenta aves y le hiciera otras tareas, y aunque pagaba muy poco y no era un buen jefe, a René le gustó mucho el trabajo. Le recordaba las aves de El Chical, que tanto amaba cuando era niño. Era la primera vez, desde que había dejado su aldea, que podía estar cerca de la naturaleza de alguna forma. Cuando alimentaba a los colibríes, urracas, loros y otros pájaros, recordaba El Chical y sus aledaños.

El dueño tenía también una colección de mariposas vivas y él tenía que cuidarlas. Las orugas llegaban de América del Sur y René tenía que mantener húmedos los capullos. Cuando se convertían en mariposas, las alimentaba con agua y azúcar, mediante una jeringa. El fotógrafo tomaba fotos de las mariposas, las aves y las orquídeas.

While living in Los Angeles René had to take many kinds of jobs to put food on the table for his family: installing irrigation lines in gardens, washing dishes and cooking in a Greek restaurant, pasting wallpaper in hotels, and welding metal cabinets for offices.

In 1982, he got a construction job at a foundation in Hollywood. He helped build an irrigation and heating system for thousands of orchid plants. The owner of the foundation was a wildlife photographer, and he had his own aviary on the roof of his apartment building.

He hired René to care for 80 birds and other tasks, and although he paid very little for the work, and was not a very nice boss, René liked the work very much. It reminded him of the birds he loved so much in El Chical when he was a boy. It was the first time since he had left the village that he could again be close to nature in some way. When he fed the hummingbirds, magpies, parrots, and others birds, he remembered El Chical and all of its surroundings.

The owner also had a collection of live butterflies, and René had to look after them too. They received the caterpillars from South America and he had to feed them and keep the cocoons moist. After they became butterflies he fed them with a syringe of sugar water. The photographer took photos of the butterflies, birds, and orchids.

Cuando su jefe murió, René pensó que probablemente era un buen momento para salir de los Estados Unidos y regresar a Guatemala. No tenía carro, vivía pobremente en Los Ángeles, ni ganaba suficiente dinero para su familia, que iba creciendo de tamaño. Decidió que vivir en los Estados Unidos no estaba funcionando bien. "El Norte no es para mí", pensaba para sus adentros. "Sería mejor continuar sufriendo en mi propia tierra". Sentía que casi todo lo que hacía le salía mal y no mejoraba, a pesar de que cada día luchaba duro. No quería rendirse, pero se acercaba el final de su fuerza y de su esperanza.

Entonces ocurrió un milagro: un colega de su patrón, llamado Ed Harrison, tomó posesión de la empresa y la fusionó con otra suya. Ed Harrison era un anglosajón muy poderoso y rico, pero no solamente en dinero, sino también generoso, compasivo, sincero y buen amigo. En otras palabras: un ángel que apareció cuando René lo necesitaba; la luz al final del túnel y la recompensa que René había estado esperando.

When his boss died, René thought that it was probably a good time to leave the United States and return to Guatemala. He didn't own a car and lived partly in poverty in Los Angeles, and did not earn enough money for his family that was growing in size. He decided that living in the US wasn't working. "The north is not for me", he thought, "it might be better to continue suffering in my own land". He felt that almost everything kept going wrong, and wasn't improving, in spite of the fact that each day he was fighting hard. He did not want to give up, but he was nearing the end of his strength and his hope in the United States.

And then a miracle happened. A colleague of his patron, a man named Ed Harrison, took possession of the foundation René worked for, and merged it with his own foundation. It turned out that Ed Harrison was another white Anglo-Saxon who was very powerful, but was not only rich in money but also in generosity, compassion, sincerity, and friendliness. In other words, he was an angel who appeared at the time René needed it; the light at the end of the tunnel, and the reward that René had been waiting for.

Cuando Ed conoció a René, le dijo que tenía que trabajar para él. Le duplicó el salario y cuando se dio cuenta de que ni siquiera tenía carro, le regaló el nuevo auto de su hija mayor. Ese fue el primer auto que René había tenido en su vida.

Cuando llegó a casa, su esposa se sorprendió mucho y saltó de alegría. Ni siquiera se le ocurrió a Ed pensar si René sabía manejar o no (y la verdad es que no sabía). René ayudó a Ed con el trabajo de su Museo Western Foundation y también en algunos proyectos personales.

El primer año se dedicó a mover y arreglar cosas; trabajaba en el jardín y hacía mandados; también fue introducido poco a poco en el trabajo del museo con los pájaros, preparando pájaros y huevos para estudios científicos. René aprendió a ser muy rápido en este trabajo y le gustaba mucho; Ed fue muy paciente y un buen maestro.

When Ed met René, he told him that he had to work for him. Ed doubled the salary, and when he realized that René did not have a car, he gave him the new car of his eldest daughter. This was the first car that René had ever had in his life.

When he arrived home that day, his wife was very surprised and filled with joy. Of course, it never went through the head of Ed whether René knew how to drive or not (and the truth was he didn't!). René helped Ed with work for his Western Foundation museum and also on personal projects.

The first year René helped move and fix things at the museum; he worked in the garden and ran errands, and also slowly was introduced to the museum's work with birds, such as preparing birds and their eggs for scientific study. René learned to be very fast at this work, and to like it very much, and Ed was a very patient and good teacher.

René trabajó duro y se aplicó para aprender lo más posible. Ed y el director del museo decidieron que debería llevar a cabo trabajos de campo con aves, como ayudante de otros biólogos del museo. De 1988 a 1992, fue enviado con biólogos a estudiar aves, huevos y nidos en la selva amazónica de Ecuador. Cada visita duraba unos tres meses. El grupo se transportaba normalmente en helicóptero, con provisiones solamente para un par de semanas. Tenían que vivir del medio y esto dio lugar a muchas aventuras interesantes.

René worked hard and applied himself to learning as much as he could. Ed saw this, and he and the director of the museum decided that René should conduct fieldwork for birds with other museum biologists. From 1988 to 1992 he was sent with biologists to study birds, eggs, and nests in the jungles of Ecuador in the Amazon River basin. Each visit was for three months and the team was regularly transported by helicopter to the jungle and dropped off with provisions for only a couple of weeks. They had to live off the land, and here he had many adventures.

La mayoría de las veces los biólogos tenían que alimentarse con lo que encontraban en la selva. Viajaban por Ecuador a pie, a caballo, en canoa, en auto y en helicóptero, a través de las selvas amazónicas, sobrevolando Los Andes, disfrutando del viaje y trabajando duramente. Después de completar el trabajo en la selva amazónica, René ayudó también en un proyecto con *vencejos*, aves que anidan bajo algunas cascadas de Costa Rica.

La relación de René con Ed Harrison era muy especial, René siempre pensó que Ed era como "su padre americano," porque siempre era muy cariñoso y genuino, y trataba a René como a un hijo.

Most of the time the biologists had to feed themselves from the forest, from what they found. They traveled around Ecuador on foot, horseback, canoe, car, and helicopter, from the lowland jungles to the highest peaks of the Andes, enjoying the trip and working very hard. After completing the work in Ecuador René also helped on a project with swifts of Costa Rica. These special birds nest under waterfalls.

René's relationship with Ed Harrison was very special. René always thought of Ed as "his American father", because he was very affectionate and genuine, and he treated René as a son.

Tiempos modernos

Puedes alcanzar tus sueños, si no te das por vencido

Modern times

Your dreams can be fulfilled if you don't ever give up

A finales de 1990, cuando René cumplía sus treinta años, murieron su madre, su padre y su hermano mayor. En el 2002, murió también Ed. Fue un período muy difícil para el lustrador guatemalteco. Extrañaba mucho a su familia y se vio afectado emocionalmente. Por un tiempo bebió mucho y peleaba con todos, porque tenía mucho odio en el corazón y no sabía qué hacer con él. Fue un periodo muy oscuro. Sabía que tenía que superar su ira y dejar de beber. Y lo hizo. Fue una de las mejores decisiones que tomó en su vida. El alcohol no ayuda a resolver los problemas, solamente los agrava. Asistió a sesiones de AA, y su familia y amigos lo apoyaron mientras cambiaba. Desde entonces no ha vuelto a beber. En cambio, comenzó el nuevo milenio con una vida llena de grandes posibilidades y sueños para el futuro.

Un domingo del año 2000, mientras ojeaba el periódico, leyó un artículo sobre un programa que se impartía en la universidad sobre trastornos derivados de adicciones. Vio una buena oportunidad, porque quería aprender más sobre esto. En su familia, su hermano mayor había muerto alcoholizado y lo mismo su hermana menor. Debido a tan tristes experiencias, René quería ayudar a su comunidad a escapar de las garras de la bebida. Entonces se inscribió en la universidad para estudiar el programa referido y en el 2004 recibió su diploma como consejero en situación de trastornos causados por adicciones, también recibió el diploma de Asociado en Ciencias. Fue un día de gran orgullo. Había trabajado duro nuevamente y estaba viendo los frutos de su labor. Había mantenido su trabajo a tiempo completo en el museo y recibía las clases por la noche, después de la jornada de trabajo. Sintió que había llegado muy lejos desde la pequeña aldea de El Chical y de su condición de lustrador en la capital guatemalteca.

In the late 1990s, when René was in his early thirties, his mother, father, and oldest brother died. In 2002, Ed also died. This period was very hard for René. He missed his family a lot, and it affected his emotions. For a time he drank too much alcohol and fought with a lot of people because he had a lot of anger in his heart and he didn't know what to do with it. It was a dark period. He knew that he had to stop the anger and quit drinking, and so he did it. It was one of the best decisions that he ever made in his life. Alcohol never resolves any problems; it only makes them worse. René attended AA sessions, and his family and friends supported him while he changed his life. Since then he has not tasted alcohol again. Instead, he began the new millennium – the year 2000 -- with a life full of many different possibilities and dreams for the future.

One Sunday in 2000, while reading the paper, René read an article about a college program that taught about addiction disorders. He saw a good opportunity because he wanted to learn more about this. In his family, his eldest brother and youngest sister both died of alcoholism. Because of these sad experiences, René wanted to help his community escape from the grasps of this terrible disease. Thus, René attended a college to study this program and he received his diploma as a Counselor of Addiction Disorders and he also graduated with his Associate of Sciences degree in 2004. It was a day of much pride. He had worked hard again, and was now seeing the fruits of his labor. He had held his full-time museum job and taken classes afterward at night. He felt like he had come very far from the small village of El Chical and from being a shoeshine boy in Guatemala City.

En el 2001 comenzó un proyecto de investigación para el museo sobre las aves de Guatemala. Desde entonces hasta hoy ha tenido la oportunidad de viajar a su país dos veces al año. Se siente muy satisfecho con este proyecto. Él y su colega la nueva Directora del museo, Dra. Linnea Hall, han recolectado información que se ha traducido en importantes contribuciones a la comprensión de la reproducción y la ecología de las aves de su amado país.

Este proyecto también le ha dado la oportunidad de visitar a su familia en Guatemala, y su vida ha sido capaz de echar raíces en ambos países, porque ahora tiene dos nacionalidades, la guatemalteca y la estadounidense. ¡Qué vida tan distinta la del niño aldeano y lustrador y la que tiene ahora!: un niño que llegó de una aldea, que no fue aceptado por otros niños, y ahora tiene la oportunidad de liderar proyectos sobre aves en la vieja aldea donde nació. René ha tenido la oportunidad de regresar a su hogar, para jugar con los animales, hablar con las plantas y realizar el trabajo que le han encomendado para la preservación de las mismas.

In 2001 René also began a research project on the birds of Guatemala for the museum. From 2001 to the present he has had the opportunity to travel back to his country twice a year. He is very proud of this project. He and his museum colleague, the new director of the museum Dr. Linnea Hall, have collected information that has made significant contributions to the understanding of the breeding and ecology of birds of his beloved country.

This project also has given him the opportunity to visit his family in Guatemala, so his life has been able to take root in both countries. He now has two nationalities, Guatemalan and US. What an incredible life the village boy and shoeshine boy now has: a boy who came from a village, was not accepted by other children, and now has the opportunity to lead projects on birds in the old village where he was born. René has been able to return to his home, to play with the animals and talk to the plants, and to conduct work that can lead to their preservation.

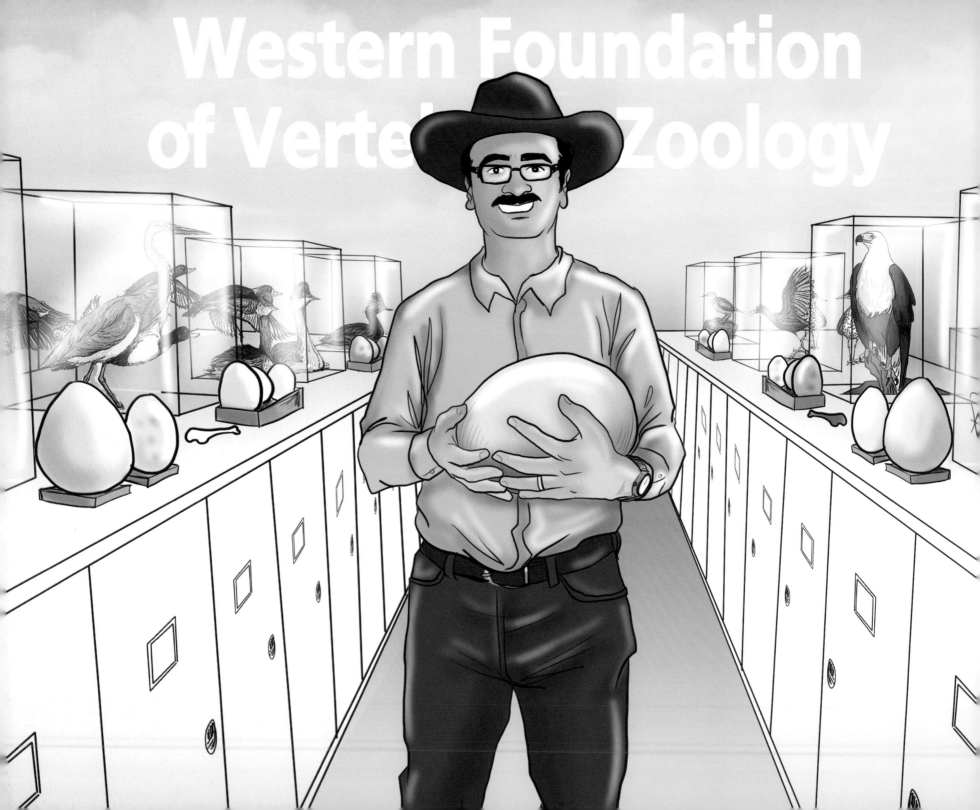

El lustrador que pensó que no sería capaz de llegar a la universidad, con la ayuda de su familia y el apoyo de buenos jefes y amigos, ha sido graduado con dos diplomas.

Es el primero de la familia que cursó estudios superiores. Su hermano Alfredo y mamá Fina no estaban aquí para ver la graduación, pero siempre pensaron que René podría hacerlo.

Para ti, querido lector, esto quiere decir que nunca debes pensar en dejar la escuela, sino en seguir y terminar. Si René fue capaz, incluso con todos los obstáculos en su vida, tú también puedes. Tu camino hacía el éxito es a través de la escuela, donde vas a estar expuesto a nuevas formas de pensar, nueva gente, nuevos amigos, nuevas posibilidades y múltiples profesiones.

The shoeshine boy who thought that he was not college material, with the help of his family and the support of good bosses and friends, has now graduated with two diplomas.

He was the first of the family to ever go to college. His brother Alfredo and Mama Fina were not alive to see the graduation, but they always thought that René could do it.

For you, dear Reader, this means that you should never think that you can't stay in school and finish it, because if René was able to do so even with all the obstacles in his life, you can too. Your path to success is through school, where you will be exposed to new ways of thinking, new people, and new possibilities for careers.

Como puedes ver, la lucha de René Corado ha sido intensa en algunos momentos, con muchos contratiempos y lágrimas, pero afortunadamente también hubo trabajo, risas y al final una realización satisfactoria. Durante su vida tuvo que afrontar muchos obstáculos, pero superándolos se hizo más fuerte y más capaz de esquivar otros a lo largo de toda su vida. Para construir una vida que vale la pena vivirse, necesitarás trabajar incansable y muy duramente, y al mismo tiempo con paciencia y fortaleza, pero puedes hacerlo también más fácil si tratas de disfrutarlo y verlo como una inversión para tu futuro.

Sería mentira decirte que va a ser fácil cumplir todos tus sueños. Seguramente serás retado a cada paso, pero los retos también te van a alertar y preparar para cada próximo evento. Recuerda que no todos se alegrarán de tus triunfos, porque tal vez se sientan menos que tú, puesto que nunca tuvieron el coraje que tú tienes. Como dicen, "si la vida te da limones, haz una limonada". Seguro que te hará también muchos regalos: aprécialos, agradécelos y úsalos sabiamente.

Procura rodearte de buenas personas que te quieran ayudar y comparte tu vida con ellas. No podemos tener éxito en la vida solos. Pero procura distinguir: los que prefieren verte miserable como ellos no son tus verdaderos amigos.

Si crees en Dios, no esperes que Él traiga todo lo que necesitas: tú tienes que hacer parte del trabajo. Pídele que te enseñe dónde están las cosas que quieres y ve a buscarlas. Recuerda que eres un producto del Creador, que te hizo para que te organices por ti mismo

As you can see, the life struggle of René Corado was intense at times, with many setbacks and tears, but fortunately there was also work, laughter, and finally, accomplishments. During his life René was faced with many obstacles, but overcoming them made him stronger and more able to dodge other obstacles in the long journey that was his life. Like René, to build a life that is worth living, you will need to work consistently and very hard, and you'll need patience and to be strong, but you can also make it easier if you try to enjoy it and see it all as an investment into your future.

It would be a lie to say that it will be easy to accomplish all of your dreams. Instead, for sure you will be challenged, but the challenges are also going to make you alert and prepare you for every next event. Remember that not everybody will be happy about your triumphs, because they may feel less than you since they never had the guts that you have. As they say, "If life gives you lemons, make lemonade". Life will give you many gifts, so appreciate them and use them wisely.

Look for good people in your life who want to help you. Spend time with them. We cannot succeed in life all alone, so look for people who want to help and for those who have worked hard also. The other people, the ones who want to see you miserable like them, are not your true friends.

If you believe in God, don't expect that he will bring you all that you need. You will have to do some of the work too! Ask God to show you where the things are that you want, and go there to find them. Remember that you are a product of the Creator and that he made you to function by yourself

y no esperes a que Él haga todo el trabajo. Si no crees en Dios, respeta las creencias de los otros y entiende que están luchando por sus propias vidas, con diferentes armas. Dios ha sido en cada caso la esperanza particular que les ha acompañado en sus respectivas jornadas.

Tienes que tener fe en ti mismo, porque eres una criatura del universo, caminas con la energía que produces y te mueves hacia tus sueños. Tienes derecho a soñar y debes soñar en grande. Tienes derecho a un pedazo de este planeta, porque no eres menos que los insectos, las plantas, los animales o cualquier otro ser humano. Dale la mano a quien te pide ayuda para caminar; enséñale las cosas que has aprendido para avanzar tú mismo. Puede ser muy difícil cambiar de dirección en la vida y alcanzar cosas a veces, pero si has hecho lo mismo durante años y no ha funcionado, para encontrar la felicidad siempre vale la pena probar algo nuevo.

La vida es una lucha constante, pero vale la pena arriesgarse por ella: de alguna manera, recibirás tu recompensa al final de tu lucha. El ganador es aquel que se atreve a competir en la vida y no siempre quien llega en primer lugar. Con solo que te hayas atrevido a competir, ya estás en la lista de los ganadores; un perdedor es alguien que nunca se atrevió a arriesgarse, por temor a no ganar. Si no nos atrevemos a vivir nuestra vida, habrá finalizado antes de comenzar.

Si estás tratando de poner en marcha un proyecto y no te sale como quieres, no renuncies, porque no has fracasado: siempre se gana algo. La persona fracasada es quien nunca lo intenta.

and not to wait for him to do all the work! If you don't believe in God, respect the beliefs of others, and understand that they are fighting for their own lives with different weapons, and God has been the particular hope that has accompanied them on their journeys.

You have to have faith in yourself too, because you're a creature of the universe. You walk with the energy that you produce yourself, and move yourself toward your dreams. You have the right to dream, and to dream big. Also, you have right to a piece of this planet because you are not less than the insects, plants, animals, or any other human being. Give a hand to whoever asks for help walking; teach them things you've done to move forward. It can be very hard to change directions in life and to accomplish your goals sometimes, but if you've done the same things for years and it has not worked, it's worth the risk to find happiness by trying something new.

Life is a constant struggle, but it's worth the risk. Somehow you are going to receive some reward at the end of the fight. The winner is the one who dares to compete in life and not always the one who comes in first place. With only the fact that you have dared to compete in life you are already on the list of the winners; a loser is someone who never dares to risk for fear of not winning. If we do not dare to live our lives, our lives are over before we begin.

If you're trying to do a project and it doesn't come out as you want, don't give up; you haven't failed! You always win something. The failed person is the one who never tries.

Sin embargo, no trates de mejorar la vida de la misma manera, si tu plan no funciona; no es completamente cuerdo aquel que se tropieza con la misma piedra varias veces, esperando un resultado diferente.

Recuerda también que tienes derecho a llorar, enojarte y reír. Todo esto es parte del paquete que la vida te confía. Si tienes la oportunidad de reír, hazlo, sin importar la razón. Aprende a reír. Así, cuando tengas que llorar, sabrás lo que significa la risa y podrás abrigar la esperanza de volver a reír en el futuro. La risa te ayudará a limpiar tu espíritu y llenará tu alma de buena energía.

Quizá la gente dirá que estás loco, por intentar hacer algo que muchos nunca se atrevieron a intentar. No importa lo que hagas, recuerda que las lecciones que has aprendido son tuyas. No importa lo que otros piensen o crean; eres tú el que está aprendiendo y creciendo. No tienes que sentirte avergonzado o culpable por lo que los demás te digan. En lugar de centrarte en lo que los demás piensen, ve lo que has aprendido de cada situación y recuerda lo mal que se siente uno al ser criticado. La próxima vez que sientas ganas de criticar a alguien, piensa en ello. Ámate y siéntete orgulloso de ti mismo. No es imprescindible que llegues en primer lugar; simplemente con intentarlo ya has ganado. Ten también en cuenta que cuando te sientes orgulloso de ti mismo, ello se refleja en tus ojos, en tu postura y en tu actitud. Y debes sentirte orgulloso, porque sabes que has luchado mucho y muy duramente para lograr una vida mejor. Pero ten cuidado: sentirse orgulloso no es lo mismo que ser arrogante, egoísta o engreído con los demás. Recuerda tus raíces y tus derrotas del pasado. Cuando eres humilde, das y no quitas. Cada uno de nosotros tiene diferentes filosofías,

However, don't keep trying to improve your life the same way if it's not working, the one who steps on the same stone repeatedly expecting a different result is not completely sane.

Also remember that you have the right to cry, get angry, and laugh. This is all part of the package that life gives you. If you have the opportunity to laugh, do it, no matter the reason. Learn to laugh, so that when you have to cry, you know that in the past you laughed a lot too, and you will have the hope of repeating those beautiful moments of joy and laughter in the future. Laughter will help you to cleanse your spirit and fill your soul with good energy.

Remember that people will say you're crazy for trying to do something they never dared to try. No matter what you do, always remember that the lessons you have learned are yours. No matter what others think or believe, you are the one who is learning and growing. You don't have to feel ashamed or guilty about what others tell you. Instead of focusing on what others are thinking, see what you learned from each situation and remember how bad it feels to be criticized. And the next time you feel the urge to criticize someone else, think about it! Like and love yourself, and be proud of yourself. Again, you don't have to come in first place, but by simply trying you have already won. When you are proud of yourself, it reflects in your eyes, in your posture, and attitude. You should be proud because you know you have fought long and hard to achieve a better life. When you are proud of yourself, you give out energy. But be careful, don't become arrogant, egotistical, or stuck-up with others. Remember your roots and your defeats of the past. When you are humble, you give and do not take. Remember that each of us have different philosophies,

religiones y creencias políticas; respeta las creencias de otros y no trates de imponer la tuya; cada uno de nosotros tiene su propia verdad.

No te pares sobre otros para salir adelante. Más bien dales la mano si te la piden y si están dispuestos a trabajar duro con tu ayuda. Pero no pierdas el tiempo con alguien que no quiere trabajar como se debe. Siempre habrá alguien que está esperando tu mano para seguirte.

Mi último mensaje para todos: recuerden que no hay más límite que el cielo; todos ustedes pueden alcanzar sus sueños, mis queridos amigos. No hay comienzo que no sea difícil. Al final serán recompensados por haber entrado en el juego.

¡Bienvenidos al club de los ganadores! René Corado espera poder leer tu historia de éxito algún día.

¡Buena suerte!

René Corado

religions, and political beliefs; respect others' beliefs and don't try to impose yours. Each one of us has his or her own truth.

Do not impose or step on others to get ahead, but give others a hand if they ask and are willing to work hard with your help. However, do not waste time with someone who does not want to work hard; there will always be someone who is waiting for your hand to follow you.

René's final message to all is: remember that the sky is the limit. You can achieve your dreams, my friends. All beginnings are hard, but in the end you will be rewarded for having stayed in the game.

Welcome to the club of the winners! René Corado is waiting to read your success story someday.

¡Good luck!

René Corado

Este libro se imprimió en los talleres de Centro Editorial VILE
Av. Simeón Cañas (6ta. Av.) 5-31, Zona 2, Guatemaa, Ciudad
El contenido de este libro es ajeno a Centro Editorial Vile